32 POEMS || 32 POEMAS

SPANISH TRANSLATIONS BY || TRADUCCIONES AL ESPAÑOL DE

Layla Benitez-James

Pablo Brescia

Pablo Cartaya

Carlos A. Del Valle Cruz

Rhina P. Espaillat

George Franklin

Ximena Gómez

George B. Henson

Pedro Medina

Natalia Molinos

Carlos Pintado

Jonathan Rose

Jorge Vessel

José A. Villar-Portela

Gastón Virkel

Hyam Plutzik

32 Poems || 32 Poemas

A BILINGUAL COLLECTION || UN POEMARIO BILINGÜE

EDITED BY || EDITADO POR *George B. Henson*

FOREWORD BY || PRÓLOGO DE *Richard Blanco*

CODA BY || CODA DE *Hyam Plutzik*

AFTERWORD BY || EPÍLOGO DE *Edward Moran*

Suburbano Ediciones

32 Poems / 32 Poemas by Hyam Plutzik
© 2021 by the Estate of Hyam Plutzik
ISBN: 978-1-7350399-6-1

Published by Suburbano Ediciones LLC (SED)
Miami, Florida USA

DEDICATION

For Tanya Plutzik, who continues to champion her
husband's poetic legacy six decades after his death.
These knowing words, recently discovered in the
Hyam Plutzik archives at the University of Rochester,
serve as a tribute to her admiration and devotion.

> Money won't mix with art or love
> As oil won't mix with water.
> The pure life and the mild life
> Will make you live a hundred.

Hyam Plutzik (1911–1962)

DEDICATORIA

Para Tanya Plutzik, quien sigue impulsando el legado
poético de su marido unos seis décadas después de su
muerte. Estas sabias palabras, recién descubiertas en
los archivos de Hyam Plutzik en la Universidad de
Rochester, sirven de tributo a su admiración y devoción.

> El dinero no se mezcla con el arte o el amor
> Como el aceite no se mezcla con el agua.
> La vida pura y la vida suave
> Te harán vivir cien años.

Hyam Plutzik (1911–1962)

Once I looked on poetry as little more than
beautiful language. Later it was a way of
communicating the nuances of the world.
More recently I have begun to look at
poetry as the synthesizer, the humanizer
of knowledge.

Hyam Plutzik, Poet (1911–1962)

Alguna vez vi a la poesía como poco más
que un hermoso lenguaje. Más adelante
fue una forma de expresar los distintos
matices del mundo. Últimamente la veo
como una síntesis del conocimiento
humano.

Hyam Plutzik, Poeta (1911–1962)
Traducido por Pedro Medina

Foreword

by Richard Blanco

I was born in 1968 to Cuban exile parents, raised in Miami in a suburban home that spoke only Spanish, wrapped in the scent of mango trees and the fuchsia clouds of bougainvillea blooming in air thick with cricket songs and the flamenco dance of firefly flashes. Hyam Plutzik was born in 1911 to immigrant parents from Belarus, into a home that spoke Yiddish, Hebrew, and Russian, amid the brawn of Brooklyn's brick buildings, the constant parade of motor carriages, the starlight of street lights shining in his bedroom window. At least that's how I've imagined the tableau of his life, so strikingly different than mine that I considered myself one of the least likely poets capable of accurately and authentically reflecting on his poetry. But as I delved deeper into this collection, I discovered how poetry is indeed a "synthesizer," as Plutzik brilliantly noted. Poetry itself is the common ground between him and me, our mutual home, our shared culture and history, our same language. His poems speak to me across time, recalling the intrinsic attributes of timeless poetry, the same essential qualities I strive for in my own work and continue to regard and profess

The guiding principle of "show, don't tell" has been hammered into an edict of creative writing instruction, at times obeyed so blindly that contemporary poems can read like a disembodied, detached voice that shows, and shows, and shows for showing's sake. The result: well executed, but sometimes soulless poems divorced from any declaration of emotion. Yet, as I remind my students (and myself), many of the most memorable poems often tell us something that profoundly contextualizes what they show us. They show and tell, so to speak. For example, consider Rilke's penetrating, unforgettable line, "You must change your life" at the close of his poem, "Archaic Torso of Apollo." That telling line feels absolutely

Prólogo

por Richard Blanco

Nací en 1968, y como hijo de padres cubanos exiliados, me crié en Miami en una casa de los suburbios donde solo se hablaba español, envuelta por el aroma de los árboles de mango y las nubes fucsias de buganvillas, que florecían en el aire cargado del ruido de los grillos y el baile flamenco de los cocuyos con sus luces intermitentes. Hyam Plutzik nació en 1911, de padres inmigrantes de Bielorrusia, en un hogar en el que se hablaba yiddish, hebreo y ruso, en medio de la dureza de los edificios de ladrillos, en Brooklyn, y el desfile constante de los autos y el ruido de sus motores, con el resplandor de las luces de las calles brillando en la ventana de su habitación. Al menos así es como me imaginé el cuadro de su vida, tan notablemente distinto al mío que llegué a considerarme uno de los poetas menos capaces de reflexionar con precisión y autenticidad sobre su poesía. Pero a medida que profundizaba en esta colección de versos, descubrí que la poesía es de hecho un "sintetizador", como Plutzik ya notó brillantemente. La poesía en sí misma es el terreno común entre él y yo, nuestro hogar mutuo, el de nuestra cultura e historia compartidas, nuestro mismo idioma. Sus poemas me hablan a través del tiempo, recordando los atributos intrínsecos de la poesía como algo intemporal, las mismas cualidades esenciales que me esfuerzo por mantener en mi propio trabajo y las que sigo considerando y profesando hasta el día de hoy.

El recurso clave de "mostrar, no contar", se ha convertido en una regla de enseñanza en la escritura creativa, a veces seguido tan ciegamente que los poemas contemporáneos pueden leerse como una voz deshabitada, y tan independiente, que se limita a mostrar y a mostrar por el mero gusto de hacer tal cosa. El resultado: poemas bien escritos, bien ejecutados, pero sin alma a veces, despojados de cualquier declaración verdaderamente emocional. Sin embargo, como suelo recordar a mis alumnos

essential; without it, the poem wouldn't have the same emotional punch.

Similarly, Hyam Plutzik's poetry strikes me as charged with this same kind of declarative power. I'm awed by his daring to tell us something through his poems, as he writes in "The Geese," that "... [t]here is no force stronger / than the will toward density, which is death." And also in "To My Daughter," when he advises, "You must learn soon, soon, that even love / Can be no shield[...]." At moments like these Plutzik's voice becomes proverbial and oracular, yet maintains an intimate and vulnerable tone like that of a close friend who shares with me some hard-won wisdom. As such, I feel wiser, too, more aware of my own being, ultimately grateful for what Plutzik so lucidly bares about the human condition in poems like "Of Eternity Considered as a Closed System," when he tells me: "Whatever is won is won forever. / Whatever is lost is gained forever."

Whether commenting on my students' poems, or reviewing poems by my contemporaries, or even when I work on drafts of my own poems, I ask myself: Why does this poem exist? It's a kind of poetic litmus test to evaluate whether or not the poem has a relatively strong or weak emotional center (or none at all). Hyam Plutzik's poems certainly pass the test; they are infused with a certain relentless urgency to feel and grasp whatever is emotionally at hand.

It's not simply the importance of what Plutzik's poems tell me, but that it's told through the voice of an honest and sentient being who is charged with emotional agency, who has something at stake in his poems. This claim holds true whether Plutzik contemplates nature in "Connecticut Autumn": "I have seen the pageantry of the leaves falling— / Their sere, brown frames descending brokenly, / Like old men lying down to rest"; or ponders the philosophical in "Divisibility": "[...]Memory / Knows no walls. They are elementary limits. / Only a fool would cut the sea with a knife, / Or say to a wind: Exceed this line at your peril"; or meditates on the nature of poetry itself in "The Poetic

(y a mí mismo), muchos de los poemas más memorables frecuentemente nos dicen algo que profundamente contextualiza aquello que nos muestran. Nos muestran y nos cuentan, por así decirlo. Recordemos, por ejemplo, la línea inolvidable y penetrante de Rilke: "Debes cambiar tu vida", al final de su poema "Torso arcaico de Apolo". Esa línea, tan reveladora, se siente como una verdad esencial, sin la cual el poema no conseguiría el mismo efecto emotivo en su lector.

De la misma manera, la poesía de Hyam Plutzik me parece cargada de ese mismo poder en sus declaraciones. Me sorprende su osadía al contarnos algo a través de sus poemas, como ocurre en "Los gansos", diciendo: "No hay fuerza más fuerte (arrasa la pasión maniática, el tiempo) / Que la voluntad hacia el destino, que es la muerte". Y también en "A mi hija", cuando advierte: "Has de aprender pronto, pronto que aun el amor / No puede servir como escudo…" En momentos así, la voz de Plutnik se hace proverbial y oracular, aunque mantiene un tono íntimo y vulnerable, como el del amigo cercano que comparte conmigo su sabiduría, arduamente ganada. De tal modo, me siento más sabio, y también más alerta acerca de mi propio ser, finalmente agradecido ante lo que Plutzik, tan lúcidamente, descubre acerca de la condición humana en poemas como "De la eternidad considerada como un sistema cerrado", cuando me dice: "Lo que se gana, se gana para siempre. / Lo que se pierde, se gana para siempre".

Ya sea cuando comento los poemas de mis alumnos, o revisando los poemas de mis contemporáneos, o incluso cuando trabajo en los borradores de mis propios poemas, me pregunto: ¿Por qué existe este poema? Es una especie de poética "prueba de fuego" para evaluar si el poema tiene un centro emocional relativamente fuerte o débil, si es que tiene alguno. La poesía de Hyam Plutzik pasa con éxito esta prueba, sus textos están insuflados con una cierta e implacable urgencia urgencia de sentir y captar todo lo que esté emocionalmente a su alcance.

Y no es simplemente la importancia de lo que los textos de

Process": "To be, then, passionately impersonal / Yet nourish the self, is the poetic dilemma." Hyam Plutzik understands that poetry that relies only by thoughts on subject matter—what he tells—is not enough; a poem without an emotional raison d'être is a mute songbird.

It's often said that poets spend their lives writing just one poem. A figurative yet useful notion suggesting that each poet is typically gripped by a unique obsession that takes hold of their psyche. As such, their body of work reflects a life-long exploration of that obsession in an attempt to dimension and define it. But precisely because there is no finite, final definition, that obsession continues/keeps serving as stoking/powering the perpetual force of purpose that drives their poetry.

My obsession can be summed up in a single word: home, and all that immense word evokes with respect to belonging and becoming in the context of family, community, place, cultural identity, heritage, and so on. Hyam Plutzik's obsession seems to also be centered on a single word: Transcendence.

Woven through this collection is Plutzik's underlying longing to transcend his subjects and himself, perhaps though the very act/art of poetry. This is especially evident in those poems that read as *ars poeticas*, as he writes in "Seeking Always the Word Nearest to Silence": "Words that have not shape, color or hardness, / Smell or brightness, or the vivid serial ticking / Of clock or heart, attract as if to say: / Prepare for unbeing, the first and last life"; and also in "To Those Who Look Out of the Window": "And strive, in secret, this brotherhood so small, / To climb the stairway out of the dust a moment / Before the lying down to sleep and the surrender." Lines such as these echo the inherent irony at the heart of poetry: poets seek to transcend the very thoughts and emotions that initially drive us to the page.

Plutzik and I meet at the junction of this irony and our respective obsessions: he finds home in his longing to transcend, whereas I find transcendence in my longing for home. Through the timeless grace and art of poetry, my 1968 Miami

Plutzik me dicen, sino lo que me revelan a través de la voz de un ser honesto y sensible que está imbuido de esa emoción, y que como agente de ella, pone algo en juego en sus poemas. Esta afirmación se manifiesta con certeza lo mismo cuando Plutzik contempla la naturaleza en "Otoño en Connecticut": "He visto la ceremonia de las hojas cayendo— / Sus secos esqueletos marrones descendiendo quebrados, / Como viejos hombres que se acuestan a descansar"; o cuando reflexiona sobre lo filosófico en "Divisibilidad": "La memoria / No sabe de muros. Son límites rudimentarios. / Solo un tonto cortaría el mar con un cuchillo, / O le diría al viento: cruza esta línea a tu propio riesgo."; o cuando medita acerca de la propia naturaleza de la poesía en "El proceso poético": "Entonces, ser apasionadamente impersonal / O nutrir el yo a la vez, es el dilema poético." Hyam Plutzik comprende que la poesía que confía solo en reflexionar sobre un tema—lo que nos dice—, no es suficiente; un poema sin una razón de existir verdaderamente emocional es el trino de un ave muda.

Con frecuencia se dice que los poetas pasan sus vidas escribiendo un único poema. Es una noción figurativa, aunque útil, que sugiere que cada uno de ellos suele quedar atrapado por esa obsesión exclusiva que se apodera de sus mentes. Por ello, el conjunto de sus obras refleja una exploración desarrollada a lo largo de toda una vida sobre esa obsesión, en un intento de dimensionarla y definirla. Pero justamente porque no hay una definición final única ni acabada, esa obsesión continúa/sigue sirviendo como avivadora/potenciadora de la fuerza perpetua del propósito que sirve de impulso a su poesía.

Mi obsesión puede resumirse en una sola palabra: hogar, y a todo lo que esa inmensa palabra evoca respecto a pertenecer, convertirse, en el contexto de la familia, la comunidad, el lugar, la identidad cultural, el patrimonio, etcétera. La obsesión de Hyam Plutzik parece también estar centrada en una única palabra: Trascendencia.

Entretejida a través de esta recopilación, aparece en el anhelo subyacente de Plutzik de trascender sus temas, y a sí mismo,

merges with Plutzik's 1911 Brooklyn, our parents become immigrants from the same country, and our languages blend as one "[i]n the one, shadowed sea where all things melt," as he predicted in "I Imagined a Painter Painting Such a World." May your lives as readers melt into these poems as well.

Richard Blanco was selected by President Obama as the fifth inaugural poet in U.S. history, the youngest and the first Latino, immigrant, and gay person in this role. Born in Madrid to Cuban exile parents and raised in Miami, he interrogates the American narrative in *How to Love a Country*. Other memoirs include *For All of Us, One Today: An Inaugural Poet's Journey* and *The Prince of Los Cocuyos: A Miami Childhood*. A Woodrow Wilson Fellow, Blanco serves as Education Ambassador for The Academy of American Poets and as an Associate Professor at Florida International University.

quizás a través del acto/arte de la poesía. Esto se hace especialmente evidente en aquellos poemas que se pueden leer como ars poeticas, como escribe en "Buscando siempre la palabra más cercana al silencio": "Palabras que no tienen forma, color o dureza, / Olor o brillo, o el vívido tictac en serie / Del reloj o del corazón, que atrae como si dijera: / Prepárate para el no ser, la primera y última vida"; y también en "Para los que miran fuera de la ventana": "Y tratemos, en secreto, en esta pequeña hermandad, / De salir del polvo trepando por la escalera justo / Antes de acostarnos a dormir y rendirnos." Versos así son ecos de la inherente ironía del corazón de lo poético: los poetas buscan trascender los mismos pensamientos y las emociones que inicialmente nos conducen a la página.

Plutzik y yo nos hemos encontrado en la encrucijada de esta ironía y de nuestras obsesiones respectivas: él encuentra el hogar en su anhelo por descender, mientras que yo encuentro la trascendencia en mi anhelo por el hogar. Mediante la gracia intemporal y el arte de la poesía, el Miami de aquel 1968 mío se mezcla con el Brooklyn de Plutzik en su 1911, nuestros padres se vuelven inmigrantes del mismo país, y nuestros lenguajes se fusionan como uno solo "[e]n el único, ensombrecido mar donde todo se funde", tal y como él predijo en "Imaginé un pintor pintando tal mundo". Que las vidas de ustedes, como sus lectores, se fundan también ahora con sus poemas.

Traducido por Norge Espinosa Mendoza

Richard Blanco fue nombrado por el presidente Obama quinto poeta inaugural, el más joven y el primer latino, inmigrante y hombre gay en desempeñar ese papel. Nacido en Madrid de padres cubanos exiliados y criado en Miami, es autor del poemario *How to Love a Country* y de las memorias *For All of Us, One Today: An Inaugural Poet's Journey* y *The Prince of Los Cocuyos: A Miami Childhood*. Recipiente de la beca Woodrow Wilson, Blanco es Embajador de Educación de la Academia de Poetas Norteamericanos y Profesor Asociado de la Universidad Internacional de Florida.

Out of His Life He Fashioned a Fistful of Words

by George B. Henson

When asked to edit this bilingual collection of poems by poet Hyam Plutzik, I must admit I had reservations. I was committed to other projects, not to mention—I'm embarrassed to say—I was unfamiliar with Plutzik's poetry. Not only did Edward Moran agree to accommodate my schedule, his passion for the project infected me, so I agreed to accept his offer.

I immediately set out to read as much of Plutzik's work as I could. I began with the poems collected here, each one translated with care and mastery by writers from around the world. As I read, I found myself asking, who is this poet whose work I've never read?

The answer, regrettably, is one that is all too common. Hyam Plutzik was, as his son Alan has said, a poet who was "starting to be prominent" at the moment of his death, one of the many "neglected poets" whose work, either by accident of history or, in Plutzik's case, an untimely death, was eclipsed by other poets and, consequently, too soon forgotten. Consider, then, this "little book," as Edward Moran has modestly dubbed it, to be a gesture toward not only reviving the memory and work of a brilliant American poet but also a step toward making his work universal. After all, to paraphrase the Nobel laureate José Saramago, it's translators who make literature universal.

The preoccupations and themes present in Plutzik's poems are not unlike those chosen by other Modernists: alienation, war, anxiety in the face of modernity, nature, especially man's relationship to nature. In the poems collected here, we see not so much a man against nature, but rather man in nature, a Thoreauvian notion that bears repeating. We are confronted, too, with language and images that are more vital and muscular than those of his contemporaries. His is not the tranquil poetic landscape of Frost's "downy flake" nor of Stevens's "coffee and

De su vida ha fabricado un puñado de palabras

por George B. Henson

Debo admitir que tenía reservas cuando Edward Moran me propuso la idea de editar esta colección bilingüe de poemas del poeta Hyam Plutzik. Yo estaba comprometido a otros proyectos, eso sin mencionar que—me avergüenza admitir—no conocía la poesía de Plutzik. No solo consintió Edward acomodar mi horario, sino que su pasión por el proyecto me infectó, de modo que decidí aceptar su propuesta.

Inmediatamente me senté a leer todo lo que podía de Plutzik. Comencé con los poemas recogidos aquí, cada uno traducido con cuidado y maestría por poetas y traductores radicados por todo el mundo. Mientras leía, me encontré preguntando, ¿quién es este poeta cuya obra nunca he leído?

La respuesta, lamentablemente, es una que es demasiado común. Hyam Plutzik era, como ha dicho su hijo Alan, un poeta que "empezaba a ser prominente" al morirse, uno de los muchos "poetas desatendidos" cuya obra, ya sea por accidente de la historia o, en el caso de Plutzik, la muerte prematura, fue eclipsada por otros poetas y, por consiguiente, demasiado pronto olvidada. Consideremos, pues, este "pequeño libro", como lo llamó modestamente Edward Moran, como un gesto no solo para revivir la memoria y la obra de un brillante poeta estadounidense sino también para hacer su obra universal. A fin de cuentas, para parafrasear al Premio Nobel José Saramago, son los traductores que hacen la literatura universal.

Las preocupaciones y los temas presentes en los poemas de Plutzik no son diferentes a los otros modernistas: la alienación, la guerra, la angustia ante la modernidad y la naturaleza—sobre todo la relación del hombre con la naturaleza. En los poemas recogidos aquí, no vemos tanto un hombre contra la naturaleza sino más bien el hombre dentro de la naturaleza, una noción thoreauviana que merece repetirse. Nos enfrentamos también

oranges in a sunny chair," but rather one of "Thunder rolling over the barley!"

In the poem, "I Imagined a Painter Painting Such a World," man, poetry, nature, and universe become one: "In the one, shadowed sea where all things melt, / While through all, the superior dark, the subjective night / Encloses and bathes the universe," a union that is repeated in "Sprig of Lilac": "And the living and the past give to one another. / There is no door between them. They pass freely / Out of themselves; becoming one another." This is the poetic universe of Hyam Plutzik: the totalizing union of aesthetics, form, and subjects.

"Out of my life I fashioned a fistful of words," writes Plutzik in his poem "On Hearing That My Poems Were Being Studied in a Distant Place." I can think of no single line of verse more fitting to describe Plutzik's poetry.

With this collection, may those words live on, not only in English but also in Spanish.

George B. Henson is a literary translator and assistant professor of Spanish Translation at the Middlebury Institute of International Studies at Monterey. His translations include works by some of Latin America's most important literary figures, including Cervantes Prize laureates Elena Poniatowska and Sergio Pitol, as well as works by Andrés Neuman, Miguel Barnet, Juan Villoro, Leonardo Padura, Alberto Chimal, and Carlos Pintado. Writing in the *Los Angeles Review of Books*, Ignacio Sánchez Prado called him "one of the most important literary translators at work in the United States today." In addition to his work as translator and academic, he serves as a contributing editor for *World Literature Today* and *Latin American Literature Today*.

con un lenguaje e imágenes que son más vitales y potentes que los de sus contemporáneos. El suyo no es el paisaje poético tranquilo de los "copos blandos" de Frost ni del "café y naranjas en una silla soleada" de Stevens sino uno del "trueno [que] está sonando sobra la cebada!"

En el poema "Imaginé un pintor pintando tal mundo", el hombre, la poesía, la naturaleza y el universo se confunden en uno: "En el único, ensombrecido mar donde todo se funde, / Mientras, la lobreguez superior, la noche subjetiva / Encierra y baña el universo", una unión que se repite en "Espiga de lila":

"Y la vida y el pasado se entregan mutuamente. / No hay puerta entre ellos. Se ausentan libres de sí; / Convirtiéndose las unas en los otros". Éste es el universo poético de Hyam Plutzik: la unión totalizante de la estética, la forma y la temática.

"De mi vida he creado un puñado de palabras", escribe Plutzik en su poema "Al escuchar que mis poemas fueron estudiados en un lugar lejano". No hay otro verso más adecuado para describir la poesía de Plutzik.

Con este poemario, esas palabras seguirán vivas, no sólo en inglés sino también en español.

George B. Henson es un traductor literario y profesor de traducción en el Middlebury Institute of International Studies en Monterey. Sus traducciones incluyen obras de algunas de las figuras literarias más destacadas de América Latina, entre ellas las galardonadas con el Premio Cervantes Elena Poniatowska y Sergio Pitol, así como las obras de Andrés Neuman, Miguel Barnet, Juan Villoro, Leonardo Padura, Alberto Chimal y Carlos Pintado. Escribiendo en la *Los Angeles Review of Books*, Ignacio Sánchez Prado lo calificó como "uno de los más importantes traductores literarios en ejercicio en los Estados Unidos hoy en día". Además de su labor como traductor y académico, es editor colaborador para las revistas *World Literature Today* y *Latin American Literature Today*.

The Poems

1 The Last Fisherman
2 On Hearing That My Poems Were Being Studied in a Distant Place
3 I Imagined a Painter Painting Such a World
4 The Geese
5 Sprig of Lilac
6 The Premonition
7 To My Daughter
8 Frederick's Wood
9 The Poetic Process
10 To Those Who Look Out of the Window
11 To Pablo Picasso, on His *Guernica*
12 The Print Over My Desk
13 The Marriage
14 Connecticut Autumn
15 The Old War
16 Hiroshima
17 Divisibility
18 Entropy
19 From *Death at the Purple Rim* (an excerpt)
20 Cancer and Nova
21 Seeking Always the Word Nearest to Silence
22 If Causality Is Impossible, Genesis is Recurrent
23 A Tremor Is Heard in the House of the Dead Man
24 An Equation
25 Because the Red Osier Dogwood
26 The Milkman
27 Identity
28 Absurd Cycle
29 Of Eternity Considered as a Closed System
30 Time and the Poem
31 My Sister
32 On the Photograph of a Man I Never Saw

Los Poemas

1 El último pescador
2 Al escuchar que mis poemas fueron estudiados
   en un lugar lejano
3 Imaginé un pintor pintando tal mundo
4 Los gansos
5 Espiga de lila
6 El presentimiento
7 A mi hija
8 El bosque de Frederick
9 El proceso poético
10 Para los que miran fuera de la centana
11 Para Pablo Picasso, sobre su *Guernica*
12 El grabado sobre mi escritorio
13 El matrimonio
14 Otoño en Connecticut
15 La vieja guerra
16 Hiroshima
17 Divisibilidad
18 Entropía
19 De *Muerte en el borde púrpura* (fragmento)
20 Cáncer y nova
21 Buscando siempre la palabra más cercana al silencio
22 Si la causalidad es imposible, la génesis es recurrente
23 Un temblor se oye en la casa del muerto
24 Una ecuación
25 Porque el cornejo de mimbre rojo
26 El lechero
27 Identidad
28 Ciclo absurdo
29 De la eternidad considerada como un sistema cerrado
30 El tiempo y el poema
31 Mi hermana
32 De la fotografía de un hombre que nunca vi

32 POEMS || 32 POEMAS

1 The Last Fisherman

He will set his camp beside a cold lake
And when the great fish leap to his lure, shout high
To three crows battling a northern wind.

Now when the barren twilight closes its circle
Will fear the yearning ghosts come for his catch
And watch intently trees move in the dark.

Fear as the last fire cringes and sputters,
Heap the branches, strike the reluctant ashes,
Lie down restless, rise when the dawn grays.

Time runs out as the hook lashes the water
Day after day, and as the days wane
Wait still for the wonder.

El último pescador

Acampará a la orilla un lago de aguas frías
Y cuando el gran pez atrape la carnada, gritará
A los tres cuervos que luchan contra el viento del norte.

Solo cuando el ocaso estéril agonice,
Tendrá miedo de los fantasmas que se acercan.
Observará cómo se mueven los árboles en lo oscuro.

Cuando el fuego chisporrotee por última vez,
Vendrá el miedo a amontonar las ramas, a esparcir las cenizas,
Se acostará inquieto, se levantará con el alba.

Día tras día el tiempo acaba
Mientras su anzuelo fustiga el agua
Y él espera el milagro.

Traducido por Carlos Pintado

2 On Hearing That My Poems Were Being Studied in a Distant Place

What are they mumbling about me there?
"Here," they say, "he suffered; here was glad."
Are words clothes or the putting off of clothes?"

The scene is as follows: my book is open
On thirty desks; the teacher expounds my life.
Outside the window the Pacific roars like a lion.

Beside which my small words rise and fall.
"In this alliteration a tower crashed."
Are words clothes or the putting off of clothes?

"Here, in the fisherman casting on the water,
He saw the end of the dreamer.
And in that image, death, naked."

Out of my life I fashioned a fistful of words.
When I opened my hand, they flew away."

Al escuchar que mis poemas fueron estudiados en un lugar lejano

2

Y allá ¿Qué murmuran sobre mí?
"Aquí", dicen, "él sufrió; aquí estaba alegre".
¿Son ropa las palabras o son el desnudarse con ellas?

La escena es la siguiente: mi libro está abierto
En presencia de treinta pupitres; el maestro expone mi vida.
Fuera de la ventana el Pacífico ruge como un león.

A lo largo de ese Pacífico mis pequeñas palabras suben y bajan.
"En esta aliteración se estrelló una torre".
¿Son ropa las palabras o son el desnudarse con ellas?

"Aquíí, en el pescador que lanza sobre el agua,
Vio el fin del soñador.
Y en esa imagen, la muerte, desnuda".

De mi vida he creado un puñado de palabras
Y cuando abrí la mano, salieron volando.

Traducido por Pablo Cartaya

3 I Imagined a Painter Painting Such a World

Like successive layers of leaf that dwindle the sunlight
Are the overlapping cumulative shadows
Projected by things, which huddle in them darkly
Within the greater shadow: suffering.

Breaching the shores of matter a swell of shadows
Destroys all sanctions of formal separateness;
And objects, transposed of vesture, take doubtful values
Like hulks vaguely discerned under the tides.

What inner or outer flames may shine are random
In the one, shadowed sea where all things melt,
While through all, the superior dark, the subjective night
Encloses and bathes the universe.

Imaginé un pintor pintando tal mundo

3

Como capas sucesivas de hojarasca que menguan la luz del sol
Se ven las traslapadas sombras acumulativas
Proyectadas por las cosas, que en ellas se agazapan tenebrosas
Dentro de la sombra mayor: el sufrimiento.

Rebosando las orillas materiales una ola de sombras
Destruye toda sanción de separación formal;
Y los objetos, transpuestos de vestidura, toman dudosos carices
Como moles entrevistos en la marea.

Toda llama interna o externa que brille es aleatoria
En el único, ensombrecido mar donde todo se funde,
Mientras, la lobreguez superior, la noche subjetiva
Encierra y baña el universo.

Traducido por José A. Villar-Portela

4 The Geese

A miscellaneous screaming that comes from nowhere
Raises the eyes at last to the moonward-flying
Squadron of wild-geese arcing the spatial cold.

Beyond the hunter's gun or the will's range
They press southward, toward the secret marshes
Where the appointed gunmen mark the crossing

Of flight and moment. There is no force stronger
(In the sweep of the monomaniac passion, time)
Than the will toward destiny, which is death.

Value the intermediate splendor of birds.

Los gansos

Un alarido que viene de ningún lugar
Eleva la mirada al fin hacia la luna
En el espacio gélido, un escuadrón de gansos salvajes.

Más allá del cañón del cazador o de su voluntad
Ellos se apresuran hacia el sur, hacia las marismas secretas
Donde marcan el paso los hombres armados

Del momento y del vuelo. No hay fuerza más poderosa
(En el arrastre de la pasión monomaníaca, el tiempo)
Que la voluntad hacia el destino, que es la muerte.

Valora el esplendor intermedio de las aves.

Traducido por Pedro Medina

5 Sprig of Lilac

Their heads grown weary under the weight of Time—
These few hours on the hither side of silence—
The lilac sprigs bend on the bough to perish.

Though each for its own sake is beautiful,
In each is the greater, the remembered beauty.
Each is exemplar of its ancestors.

Within the flower of the present, uneasy in the wind,
Are the forms of those of the years behind the door.
Their faint aroma touches the edge of the mind.

And the living and the past give to one another.
There is no door between them. They pass freely
Out of themselves; becoming one another.

I see the lilac sprigs bending and withering.
Each year like Adonis they pass through the dumb-show of death,
Waxing and waning on the tree in the brain of a man.

Sus cabezas cansadas por el peso del Tiempo—
Con pocas horas a este lado del silencio—
Las espigas lilas dobladas en sus varas, prontas a perecer.

Aunque cada una es hermosa de por sí,
En cada es mayor la belleza recordada.
Cada una un ejemplar de sus antepasados.

Dentro la flor de hoy, trémula en el viento,
Todas las formas de aquellas que por años yacen más allá
    de la puerta.
Sus leves aromas todavía acarician la periferia del pensamiento.

Y la vida y el pasado se entregan mutuamente.
No hay puerta entre ellos. Se ausentan libres de sí;
Convirtiéndose las unas en los otros.

Veo el doblar y marchitarse de las espigas de lilas.
Cada año como Adonis pasan por la pantomima de la muerte,
Creciendo y menguando en el árbol del cerebro del hombre.

Traducido por Carlos A. Del Valle Cruz

6 The Premonition

Trying to imagine a poem of the future,
I saw a nameless jewel lying
Lurid on a table of black velvet.

Light winked there like eyes half-lidded,
Raying the dark with signals,
Lunar, mineral, maddening

As that white night-flower herself,
And with her delusive chastity.

Then one said: "I am the poet of the damned.
My eyes are seared with the darkness that you willed me.
This jewel is my heart, which I no longer need."

El presentimiento

Tratando de imaginar un poema del futuro
Vi una joya innominada yaciendo
Escandalosa en una mesa de terciopelo negro.

La luz allí parpadeaba como ojos medio cerrados
Lustrando la oscuridad con señales
Lunares, minerales, enloquecedores

Como aquella flor-de-noche blanca
Y su castidad delusiva.

Luego alguien dijo: "Yo soy el poeta de los condenados.
Mis ojos están agotados por la oscuridad que me deseaste.
Esta joya es mi corazón, el cual no necesito más".

Traducido por Jonathan Rose

7 To My Daughter

Seventy-seven betrayers will stand by the road,
And those who love you will be few but stronger.

Seventy-seven betrayers, skilful and various,
But do not fear them: they are unimportant.

You must learn soon, soon, that despite Judas
The great betrayals are impersonal

(Though many would be Judas, having the will
And the capacity, but few the courage).

You must learn soon, soon, that even love
Can be no shield against the abstract demons:

Time, cold and fire, and the law of pain,
The law of things falling, and the law of forgetting.

The messengers, of faces and names known
Or of forms familiar, are innocent.

Setenta siete traidores bloquearán el camino
Y quienes te aman serán pocos pero más fuertes.

Setenta y siete traidores, hábiles y variados,
Pero no les temas: no tienen importancia.

Has de aprender pronto, pronto que a pesar de Judas
Las grandes traiciones son impersonales.

(Aunque muchos pretendían ser Judas, con la voluntad
Y la capacidad, pero pocos con la valentía).

Has de aprender pronto, pronto que aun el amor
No puede servir como escudo contra los demonios abstractos.

El tiempo, el frío y el fuego, y la ley del dolor,
La ley de las cosas cayendo, y la ley del olvido.

Los mensajeros de rostros y nombres conocidos
O de formas familiares, son inocentes.

Translated by Jonathan Rose

8 Frederick's Wood

At the first smell of fall the locusts sing
Louder by far than on the midsummer nights,
Storing song for the later silences.

At the time the hived honey is eaten by the sons
Of yesterday's buzzers, the final wave of the song
Is caught in the sensuous horns of the locust's children.

"You will find your mates deep in the green grass;
Stores of food down near the roots of the grass.
Sing in the green grass. But when the grass

Turns cool; do not forget to raise your voice."

El bosque de Frederick

Con el primer aroma del otoño cantan los saltamontes
Mucho más alto que en las noches de pleno verano,
Guardan su canción para los silencios venideros.

Cuando la miel retenida en la colmena sea devorada por las crías
De los zumbadores de ayer, la oleada final del canto ha de enredarse
entre los cuernos sensuales de los hijos del saltamontes.

"Encontrarás a tu pareja en lo hondo de la hierba verde;
Provisiones de comida abajo, cerca de las raíces de la hierba.
Canta en la hierba verde. Pero cuando sientas

Que la hierba se enfría, no olvides alzar tu voz".

Traducido por Jorge Vessel

9 The Poetic Process

The poetic process is lonely but theatrical,
Improvisation before an empty house
With the dread that prompter and stagehands will stay away.

The problem is always one of self-projection.
Burbage must die while he wears Hamlet's beard;
But also, strangely, when the tragedy is his own.

To be, then, passionately impersonal
Yet nourish the self, is the poetic dilemma.

El proceso poético es solitario pero teatral,
Improvisación delante de una casa vacía
Temiendo que tramoyista y apuntador estén lejos.

El problema es siempre la proyección del yo.
Burbage debe morir mientras luce la barba de Hamlet;
Pero también, de forma extraña, cuando suya es la tragedia.

Entonces, ser apasionadamente impersonal
O nutrir el yo a la vez, es el dilema poético.

Traducido por Jorge Vessel

To those who look out of the window at the night
This passing moment, within the bounds of our city:
We are not many, standing in the dark by the window,
With the cool and starlit air brushing the face
And our eyes hungry for the light-givers,
The luminous ones, brightening the reaches of the sky.
Of them our neighbors, the thousands and the thousands,
Under all the rooftrees in the obscure streets and alleys,
Let us not be reminiscent or piteous,
If, in the coils of the serpent sleep long since,
All unresisting they have become earthen.
—But feel the brush of the wind on the face, the bath
Of the light, the torment of beauty deep in the throat;
And strive, in secret, this brotherhood so small,
To climb the stairway out of the dust a moment
Before the lying down to sleep and the surrender.

Para los que miran la noche fuera de la ventana
En este instante que pasa, dentro de los límites de la ciudad:
No somos muchos a los que, en la oscuridad, de pie junto a la ventana,
El aire fresco e iluminado por las estrellas roza la cara
Y los ojos ávidos de las que emiten luz,
Las brillantes que alumbran los confines del cielo.
Por ellas, nuestras vecinas, las miles y miles,
Bajo todas las parhileras en calles y callejones oscuros,
No nos llenemos de lástima o nostalgia
Si, en el sueño inmemorial y enroscado de serpiente,
Todas ellas sumisas se han vuelto terrestres.
—Sólo sintamos el roce del viento en la cara, el baño de luz,
El tormento de la belleza en lo profundo de la garganta;
Y tratemos, en secreto, en esta pequeña hermandad,
De salir del polvo trepando por la escalera justo
Antes de acostarnos a dormir y rendirnos.

Traducido por Jorge Vessel

11 To Pablo Picasso, on His *Guernica*

That black bull of yours, Pablo,
Proves that in Spain, Pablo,
God and the Devil are often hard to tell apart.
That is the Spanish problem, Pablo.

Ese toro negro tuyo, Pablo,
Prueba que en España, Pablo,
Dios y el Diablo son a menudo difíciles de separar.
Ese es el problema español, Pablo.

Traducido por Natalia Molinos

Sho-son drew five white birds
Against a backdrop of snowflakes
(Or are they stars?)

Or are they birds?
(Every snowflake being a white bird)

That birds are birds goes without saying.
But snowflakes? Ah!

(Which illustrates the value of perspective,
Or wise eyes on an island with a mountain for its navel)

El grabado sobre mi escritorio

Sho-son dibujó cinco pájaros blancos
Contra un fondo de copos de nieve
(¿o son estrellas?)

¿O son pájaros?
(Siendo cada copo de nieve un pájaro blanco)

Que los pájaros son pájaros, no hace falta decirlo.
¿Pero copos de nieve? ¡Ah!

(Lo que ilustra el valor de la perspectiva,
O sabios ojos en una isla con una montaña por ombligo)

Traducido por Natalia Molinos

13 The Marriage

On a certain night they dreamt of the silent nations,
The ghost of the unborn.
Unclasped and separate, like effigies on a tomb,
They lay
Under the canopy of galactic eyes.
They rose and entered a dark ship.
They saw the snow falling on the plains and the mountains
And the ice clasping all in its arms.

El matrimonio

Cierta noche soñaron con las naciones silenciadas,
El espíritu de los no nacidos.
Desprendidos y separados, como efigies en una tumba,
Yacen
Bajo un dosel de ojos galácticos.
Subieron y entraron en un barco oscuro.
Vieron la nieve caer sobre las llanuras y las montañas.
Y el hielo prendiéndose todo en sus brazos.

Traducido por Natalia Molinos

I have seen the pageantry of the leaves falling—
Their sere, brown frames descending brakingly,
Like old men lying down to rest.
I have heard the whisperings of the winds calling—
The young winds—playing with the old men—
Playing with them, as the sun flows west.

And I have seen the pomp of this earth naked—
The brown fields standing cold and resolute,
Like strong men waiting for the end.
Then have come the sudden gusts of winds awaked:
The broken pageantry, the leaves upflailed, the trees
Tremor-stricken, the giant branches rent.

And a shiver runs over the remnants of the brown grass—
And there is cessation....
The processional recurs.

I have seen the pageantry.
I have seen the haggard leaves falling.
One by one falling.

He visto la ceremonia de las hojas cayendo—
Sus secos esqueletos marrones descendiendo quebrados,
Como viejos hombres que se acuestan a descansar.
He escuchado los susurros de los vientos llamando—
Los jóvenes vientos—jugando con los viejos hombres—
Jugando con ellos mientras el sol va hacia el oeste.

Y he visto la pompa de esta tierra desnuda—
Los campos secos, fríos y resueltos,
Como si fueran hombres fuertes que esperan el fin.
Y entonces llegan sin avisar las ráfagas de viento que despiertan:
La ceremonia quebrada, las hojas hacia arriba agitadas, los árboles
Estremecidos, las ramas gigantes desgarradas.

Y un temblor atraviesa los restos de los pastizales secos—
Y hay un cese....
La procesión se repite.

He visto la ceremonia.
He visto a las demacradas hojas cayendo.
Una por una, cayendo.

Traducido por Pablo Brescia

No one cared for the iron sparrow
That fell from the sky that quiet day
With no bird's voice, a mad beast's bellow.

Sparrow, your wing was a broken scar
As you blundered into the mother-barley.
Sparrow, how many men did you bear?

"Ten good men, pilot and gunner—
Trapped in the whirlpool, held by no hands,
Twisting from truth with curse and prayer.

"Ten good men I bore in my belly—
Not as the mother-barley bears.
Ten good men I returned to her there."

Thunder rolling over the barley!
Fire swarming high and higher!

Home again to the barley-mother—
Ten good sons, pilot and gunner,
Radioman and bombardier.

La vieja guerra

A nadie le importó el gorrión de hierro
Que cayó del cielo ese día calmo
Sin voz de ave, un bramido de bestia fiera.

Gorrión, tu ala fue una cicatriz rota
Mientras en la cebada-madre errabas.
Gorrión, ¿cuántos hombres cargabas?

"Diez buenos hombres, piloto y artillero—
Atrapados en la vorágine, sin manos que los sostengan,
Cayendo de la verdad, malditos y rezando".

"Diez buenos hombres cargué en mi entraña—
No como la cebada-madre carga.
Diez buenos hombres le devolví".

¡El trueno está sonando sobra la cebada!
¡El fuego está danzando alto y más alto!

De regreso a casa, a la cebada-madre—
Diez buenos hijos, piloto y artillero,
Radioperador y bombardero.

Traducido por Pablo Brescia

16 Hiroshima

The man who gave the signal sleeps well—
  So he says.

But the man who pulled the toggle sleeps badly—
  So we read.

And we behind the man who gave the signal—
  How do we sleep?

And they below the man who pulled the toggle?
  Well?

Hiroshima

El hombre que dio la señal duerme bien—
    Eso dice, al menos.

Pero el hombre que accionó la palanca duerme mal—
    Eso leemos.

Y nosotros, los que estamos detrás del hombre que dio la señal—
    ¿Cómo dormimos?

¿Y los que están debajo del hombre que accionó la palanca?
    ¿Y?

Traducido por Pablo Brescia

The limitary nature of a wall
Is partial only, to keep out dogs and insects,
Contain the furniture, exclude the rain.

But space flies through it like a mad commuter.
Rooms are thus always strange, as if you entered
Another by error in the same hotel,

And saw incredulous no known landmarks,
The bed moved, new luggage on the floor,
And a window staring at you from the wrong corner.

And desire goes through a wall as wild geese
Pass and cry over reedy waters. Memory
Knows no walls. They are elementary limits.

Only a fool would cut the sea with a knife,
Or say to a wind: Exceed this line at your peril.

La naturaleza limitante del muro
Solo es parcial, para repeler perros e insectos
Contener los muebles, excluir a la lluvia.

Pero el espacio lo atraviesa como un viajero demente.
Las habitaciones son por lo tanto siempre extrañas, como si entraras
Por error en otra distinta en el mismo hotel,

Y vieras incrédulamente un sitio desconocido,
La cama desplazada, una maleta nueva en el suelo,
Y una ventana mirándote fijamente desde el rincón equivocado.

Y el deseo pasa a través del muro como gansos salvajes
Pasan y lloran sobre los juncos. La memoria
No sabe de muros. Son límites rudimentarios.

Solo un tonto cortaría el mar con un cuchillo,
O le diría al viento: cruza esta línea a tu propio riesgo.

Traducido por Gastón Virkel

I have seen the wound that matter makes in space,
The hole in the blank sheet of white paper.
On a day the name of no dead demon could hold
I saw the tension of Being in all things,
Bearing them up against the tightening spring
Of infinite number and the fires of nebular torment
Till the last day, when they lie crushed like a moth
In a child's hand, or a thing under the sea.

Entropía

He visto la herida que la materia provoca en el espacio,
La cavidad en la página vacía del papel blanco.
En el día que la mención de ningún demonio muerto pudo
    sostenerlo
Vi la tensión del Ser en todos los objetos,
Resistiendo a la ceñida primavera
De número infinito y a los fuegos del tormento nebular
Hasta el último día, cuando se tiendan aplastados como una polilla
En las manos de un niño, o una criatura bajo el mar.

Traducido por Gastón Virkel

19 From *Death at the Purple Rim* (an excerpt)

                    "But you—
I see you entering life in a jaunty youth
No Ben who chewed an undignified loaf on High Street
And tugged at his suitcase and heard a merciless wench
Laugh with white teeth from a doorway—a personage rather
The world bowed deeply to greet: whose resplendent doorman
Ushered you in with deference, called for a page
To relieve you of bag and bundle, and to the room clerk
Whispered that this was no passing fool—indeed
Was a noble and affluent scion of Venezuela,
Incognito, Don Antonio Pez y Manana y Mosca,
Arrived to savor the sights: was a friend of the owner's;
Was to loll at the owner's expense in a spacious room
That faced the ocean, and have his drinks on the house:
And as you moved forward, the bellboys cleared you a path
With worshiping, callow eyes; and people whispered...

"Pero tú—
Te veo entrando a la vida con juventud vivaracha
Sin Ben quien masticó el indigno pan en la calle High
Y arrastró su maleta y oyó una jovenzuela impiadosa
Reír con diente blanco desde un portón—un personaje más bien
El mundo se inclinó exageradamente para saludarte:
    su respandeciente portero
Te introdujo con deferencia, llamó a un botones
Para aliviarte de bolso y bulto, y rumbo a la habitación el empleado
Susurró que aquel no era cualquier tonto—en efecto
Se trataba de un noble y acaudalado vástago de Venezuela,
De incógnito, don Antonio Pez y Mañana y Mosca,
Llegado para deleitarse con los paisajes: era amigo del dueño;
Iría a flojear a expensas del propietario en una habitación espaciosa
Con vista al mar, y tomar sus tragos a cuenta de la casa:
Y a medida que avanzabas, los botones te despejaban el camino
Con adoración, con ojos ingenuos; y la gente murmuraba...

Traducido por Gastón Virkel

The star exploding in the body;
The creeping thing, growing in the brain or the bone;
The hectic cannibal, the obscene mouth.

The mouths along the meridian sought him,
Soft as moths, many a moon and sun,
Until one
In a pale fleeing dream caught him.

Waking, he did not know himself undone,
Nor walking, smiling, reading that the news was good,
The star exploding in his blood.

Cáncer y nova

La estrella estallando en el cuerpo;
Algo rastrero, creciendo en el cerebro o en el hueso;
El caníbal hético, la boca obscena.

Las bocas del meridiano lo buscaron,
Blandas como polillas, muchas lunas y soles,
Hasta que una
En un sueño desvaído y fugaz, lo atrapó.

Despertando, no se reconocía a sí mismo deshecho,
Ni caminando, sonriendo, o leyendo que las noticias eran buenas,
La estrella estallando en su sangre.

Traducido por Layla Benitez-James

Seeking always the word nearest to silence—
For speech is a fever, as life an ague of nature—
One nears the undifferentiated nothing,
The last mask of the multiple delusion.

Words that have not shape, color or hardness,
Smell or brightness, or the vivid serial ticking
Of clock or heart, attract as if to say:
Prepare for unbeing, the first and last life.

Of yesterday's garden the unsubstantiated green
And dim birdsong are true eternity,
Though I and this mower accept the tricks of sense,
Hear and hunger, look and thirst, like fools.

Buscando siempre la palabra más cercana al silencio—
Ya que el habla es una fiebre, como la vida es un agüe de
  la naturaleza—
Uno se acerca a la indiferenciada nada,
La última máscara de la desilusión múltiple.

Palabras que no tienen forma, color o dureza,
Olor o brillo, o el vívido tictac en serie
Del reloj o del corazón, que atrae como si dijera:
Prepárate para el no ser, la primera y última vida.

Del jardín de ayer el verde infundado
Y el tenue canto de los pájaros son la verdadera eternidad,
Aunque yo y este cortacésped aceptamos los engaños de
  los sentidos,
Oír y tener hambre, mirar y tener sed, como orates.

Traducido por Layla Benitez-James

The abrupt appearance of a yellow flower
Out of the perfect nothing, is miraculous.
The sum of Being, being discontinuous,
Must presuppose a God-out-of-the-box
Who makes a primal garden of each garden.
There is no change, but only re-creation
One step ahead. As in the cinema
Upon the screen, all motion is illusory.
So if your mind were keener and could clinch
More than its flitting beachhead in the Permanent,
You'd see a twinkling world flashing and dying
Projected out of a tireless, winking Eye
Opening and closing in immensity—
Creating, with its look, beside all else
Always Adamic passion and innocence
The bloodred apple or the yellow flower.

La aparición abrupta de una flor amarilla.
De la nada perfecta, es milagrosa.
La suma del Ser, siendo discontinua,
Debe presuponer un Dios listo para crear
Que hace un primer jardín de cada jardín.
No hay cambio, solo re-creación
Un paso adelante. Como en el cine
En la pantalla, todo movimiento es ilusorio.
Si tu mente fuera más aguda y pudiera agarrarse
Más que a su revoloteante cabecera de playa en el Permanente,
Verías un mundo centelleante brillando y muriendo
Proyectado desde un incansable Ojo parpadeante
Abriéndose y cerrándose en inmensidad—
Creando, con su mirada, junto a todo lo demás
Siempre pasión e inocencia adánicas
La manzana rojo sangre o la flor amarilla.

Traducido por Layla Benitez-James

23 A Tremor Is Heard in the House of the Dead Man

A tremor is heard in the house of the dead man
And a door opens slowly
Soon after the body is brought to the ground.

He listens to the talk of the mourners,
Sipping the words like a bird at a strange water
Far from home.

He flutters to him who saw the door opening,
Calling in a reedy voice to the merciful God
Who rots the beams and rusts the doors from their hinges.

The grave lies north.
He darts through an open window and flies southward
Toward some hovering dots on a white cloud.

A butterfly comes to the open window,
Enters—(How strange!
I'll drive it away. Do not hurt it.)—
And blunders back to the garden.

The voices ebb and resume.
The clock ticks.

Father.

Un temblor se oye en la casa del muerto.
Y una puerta se abre lentamente
Poco después de haber dejado el cuerpo en la tierra.

Escucha la charla de los dolientes,
Sorbiendo las palabras como un pájaro en un agua rara
Lejos de hogar.

Aletea hacia el que vio la puerta abrirse,
Invocando con una voz aflautado al Dios misericordioso
Quien pudre las vigas y oxida las puertas de sus goznes.

La tumba yace hacia el norte.
Se lanza por una ventana abierta y vuela hacia el sur.
Hacia algunos puntos flotando en una nube blanca.

Una mariposa llega a la ventana abierta,
Entra—(¡Qué raro!
La ahuyentaré. Que no le hagas daño.)—
Y vuelve torpemente al jardín.

Las voces bajan y se reanudan.
El reloj hace tictac.

Padre.

Traducido por Layla Benitez-James

24 An Equation

For instance: $y - xa + mx^2(a^2 + 1) = 0$

Coil upon coil, the grave serpent holds
Its implacable strict pose, under a light
Like marble. The artist's damnation, the rat of time,
Cannot gnaw this form, nor event touch it with age.
Before it was, it existed, creating the mind
Which created it, out of itself. It will dissolve
Into itself, though in another language.
Its changes are not in change, nor its times in time.

And the coiled serpent quivering under a light
Crueler than marble, unwinds slowly, altering
Deliberate the great convolutions, a dancer,
A mime on the brilliant stage. The sudden movement,
Swifter than creases of lightning, renew a statue:
There by its skin a snake rears beaten in copper.

It will not acknowledge the incense on your altars,
Nor hear at night in your room the weeping....

Una ecuación

Por ejemplo: $y - xa + mx^2(a^2 + 1) = 0$

Espiral sobre espiral, la serpiente grave
Mantiene su pose estricta e implacable, bajo una luz
Como mármol. La maldición del artista, la rata del tiempo,
No puede roer esta forma, ningún suceso en el tiempo
La altera. Antes de ser, existía, creaba la mente
que la creaba, desde sí misma. Se disolverá en sí misma
Aunque en otro lenguaje. Sus cambios no están sujetos
Al cambio, ni sus tiempos al tiempo.

Y la serpiente enroscada que vibra bajo una luz,
Más cruel que el mármol, se desdobla lenta, altera
Deliberadamente las grandes sinuosidades, una bailarina,
Un mimo en el escenario luminoso. El movimiento abrupto,
Más raudo que las líneas del rayo, restaura una estatua:
Allí, por su piel, una serpiente se eleva martillada en cobre.

No reconocerá el incienso en tus altares
Ni escuchará por la noche en tu habitación el llanto....

Traducido por Ximena Gómez y George Franklin

Because the red osier dogwood
Is the winter lightning,
The retention of the prime fire
In the naked and forlorn season
When snow is winner
(For he flames quietly above the shivering mouse
In the moldy tunnel,
The eggs of the grasshopper awaiting metamorphosis
Into the lands of hay and the times of the daisy,
The snake contorted in the gravel,
His brain suspended in thought
Over an abyss that summer will fill with murmuring
And frogs make laughable: the cricket-haunted time)—
I, seeing in the still red branches
The stubborn, unflinching fire of that time,
Will not believe the horror at the door, the snow-white worm
Gnawing at the edges of the mind,
The hissing tree when the sleet falls.
For because the red osier dogwood
Is the winter sentinel,
I am certain of the return of the moth
(Who was not destroyed when an August flame licked him),
And the cabbage butterfly, and all the families
Whom the sun fathers, in the cauldron of his mercy.

Porque el cornejo de mimbre rojo
Es el relampagueo del invierno,
La conservación del primer fuego
En la estación desnuda y desolada
Cuando la nieve lo domina todo
(Porque arde en silencio sobre el ratón que tirita
En el túnel mohoso,
Los huevos del grillo esperan la metamorfosis
En las tierras del heno y la época de la margarita,
La serpiente contorsionada en la gravilla,
Su cerebro suspendido en el pensamiento
Sobre un abismo que el verano llenará de murmullos
Y las ranas vuelven risible: la estación encantada por los grillos)…
Al contemplar las ramas aún rojas,
El fuego obstinado e inalterable de esa estación,
No creeré en el horror ante la puerta, en el gusano blanco como
    la nieve
Que roe los bordes de la mente,
En el árbol que silba cuando la aguanieve cae.
Por esta razón, dado que el cornejo de mimbre rojo
Es el guardián del invierno,
Estoy convencido de que la polilla regresará
(Que no fue destruida cuando una llama de agosto la lamió),
Y la mariposa del repollo, y todas las familias
A las que el sol engendra, en el caldero de su misericordia.

Traducido por Ximena Gómez y George Franklin

The milkman walks with mysterious movements,
Translating will to energy—
To the crunch of his feet on crystalline water—
While the bad angels mutter.

A white ghost in an opaque body
Passing slowly over the snow,
And a telltale fume on the frozen air
To spite the princes of terror.

One night they will knock on the milkman's door,
Their boots crunch hard on the front-porch floor,
One-two, open the door.

You are the thief of the secret flame,
The forbidden bread, the terrible Name.
Return what is let; go back where you came.

One, two, the slam of a door.
A woman crying: Who is there?
And voices mumbling beyond the stair.

Is there a fume in the frozen sky
To spell that someone has been by,
Under the sun and over the snow?

El lechero

El lechero camina con movimientos misteriosos,
Que traducen la voluntad en energía—
Con un crujido de sus pasos sobre el agua cristalina—
Mientras los ángeles malos murmuran.

Un fantasma blanco en un cuerpo opaco
Que pasa lentamente sobre la nieve
Y un vaho delator en el aire helado
Para atormentar a los príncipes del terror.

Una noche golpearán en la puerta del lechero,
En el piso del pórtico anterior, sus botas crujirán duro,
Uno, dos, abre la puerta.

Eres el ladrón del fuego secreto,
El pan prohibido, el Nombre terrible.
Devuelve lo prestado, vuelve a dónde viniste.

Uno, dos, el golpe de la puerta.
Una mujer grita: ¿Quién está ahí?
Y voces murmuran más allá de la escalera.

¿Hay un vaho en el cielo helado
Para anunciar que alguien ha estado
Bajo el sol y sobre la nieve?

Traducido por Ximena Gómez y George Franklin

27 Identity

To locate a person hidden in this room,
Who stands—in fact—before us, dispersed in a shape
Of primitive coinage, with arms, legs and a nose,
We need no deeper philosophy than subtraction,
Which takes from ten, the height of the room, his height
Of full six feet, leaving his selfhood suspended
(Where the brain beats, hoarding awareness and memory)
Some four feet from the ceiling, like a bird
Hovering in the wind, more like a bubble
Or unexpected balloon: a magician's secret
No greater in strangeness than maid's way with a man.

Identidad

Para ubicar a una persona escondida en esta habitación,
que está de pie, de hecho, ante nosotros, dispersa en forma
De moneda primitiva, con brazos, piernas y nariz,
No necesitamos filosofía más profunda que la sustracción,
que resta de diez, la altura de la habitación, su altura
De seis pies completos, y deja su individualidad suspendida
(Donde el cerebro pulsa, almacena la conciencia y la memoria)
A unos cuatro pies del techo, como un pájaro
Que flota en el viento, más como una burbuja
O un globo inesperado: el secreto de un mago
No más extraño que los gestos de una doncella con un hombre.

Traducido por Ximena Gómez y George Franklin

The wounded thing
First like a fish
Will become a man
And make a wish

For a peck of apples,
A pint of dream.
And a leaping fish
In a stream.

Ciclo absurdo

La cosa herida
Como pez, primero
Se volverá hombre
Y pedirá un deseo

Por una bolsa de manzanas,
Una pinta de sueños
Y un pez que brinca
En un riachuelo.

Traducido por Ximena Gómez y George Franklin

He will never forget the aimless birds
That ride a white sky's wind today.
When the brain is darkened an aimless bird
Will circle forever a darker sky.

Whatever is won is won forever.
Whatever s lost is gained forever.
Forever's terms are the sum of the days.
A white sky's circling bird is forever.

Él nunca olvidará los pájaros sin rumbo
Que hoy flotan en el viento de un cielo blanco.
Cuando el cerebro se nubla, un ave sin rumbo
Cercará para siempre un cielo más sombrío.

Lo que se gana, se gana para siempre.
Lo que se pierde, se gana para siempre.
Los términos de siempre son la suma de los días.
El pájaro de un cielo blanco da vueltas para siempre.

Traducido por Ximena Gómez y George Franklin

As the unexpected world to an angel who slept
  Through the seven crucial days is the sudden poem:

"See the abyss and the golden chain pendent,
  And the yellow midges there circling the ether.

"Within those rings the radiant jewel alone—
  Red, red, and the green richness within.

"But what black thing wings from the lower quadrant?
  See where he nears, breaking that timeless bliss!"

El tiempo y el poema

Como el mundo inesperado para un ángel que se durmió
Los siete días cruciales es el poema súbito:

"Mira el abismo y la cadena dorada que cuelga,
Y las moscas amarillas ahí, orbitando el éter.

"Dentro de esos anillos a solas, la joya refulgente—
El rojo, el rojo, y adentro el esplendor verde.

"¿Pero qué cosa negra vuela desde el cuadrante inferior?
¡Mira por donde él llega, perturbando esa dicha eterna!"

Traducido por Ximena Gómez y George Franklin

Now the swift rot of the flesh is over.
Now only the slow rot of the bones in the Northern damp.
Even the bones of that tiny foot that brought her doom.

Imagine a land where there is no rain as we know rain.
Not the quick dashing of water to the expectant face,
But the weary ooze of spent drops in the earth.

Imagine the little skeleton lying there—
In the terrible declination of the years—
On the solitary bed, in the crumbling shell of a world.

Amid the monsters with lipless teeth who lie there in wait—
The saurian multitudes who rest in that land—
And the men without eyes who forever glare at the sky.

And the ominous strangers ever entering.
Why are they angry? They keep their arms to themselves.
Comfort themselves in the cold. Whisper no word.

And the black dog has come, but he does not play.
And no one moves but the man who walks in the sky—
A strange man who comes to cut the grass.

Seventeen years....

And already the fair flesh dispersed, the proud form broken.
The glaciers move from the north and the sun is dying.
And into the chasm of Time alone and tiny....

The Man of War sits in the gleaming chair.
Struts through the halls. The Dispenser of Vengeance laughs,
Crying *victory! victory! victory! victory!*

Victory.

Ahora, la rápida putrefacción de la carne ha terminado.
Ahora, solo la lenta putrefacción de los huesos en la humedad del norte.
Incluso los huesos de aquel pie diminuto que fueron su perdición.

Imagina una tierra donde no haya lluvia como la conocemos.
Ni el rápido chorro del agua sobre el rostro expectante.
Si no el lento supurar de gotas cansadas en la tierra.

Imagina un esqueleto pequeño recostado ahí,
En el terrible declinar de los años,
En el lecho solitario, en la concha derruida del mundo.

Entre los monstruos de dientes sin labios que allí acechan,
Las multitudes de saurios que yacen en esa tierra...
Y los hombres sin ojos que miran por siempre al cielo.

Y los forasteros siniestros que eternamente llegan.
¿Por qué están irritados? Recogen sus brazos sobre sí mismos.
Se reconfortan a sí mismos en el frío. No susurran palabra.

Y el perro negro ha venido, pero no juega.
Y nadie se mueve, sólo el hombre que camina por el cielo,
Un hombre extraño que viene a cortar la hierba.

Diecisiete años....

Y ya la carne clara se desintegró, la orgullosa forma se fragmentó.
Los glaciares se mueven desde el norte y el sol agoniza.
Y en el abismo del Tiempo, solo y diminuto....

El Hombre de Guerra está sentado en la silla reluciente.
Se pavonea por los pasillos. El Dispensador de la Venganza se ríe
Gritando: *¡Victoria! ¡Victoria! ¡Victoria! ¡Victoria!*

Victoria.

Traducido por Ximena Gómez y George Franklin

My grandfather's beard
Was blacker than God's
Just after the tablets
Were broken in half.

My grandfather's eyes
Were sterner than Moses'
Just after the worship
Of the calf.

O ghost! ghost!
You foresaw the days
Of the fallen Law
In the strange place.

Where ten together
Lament David,
Is the glance softened?
Bowed the face?

La barba de mi abuelo
Era más negra que la de Yahvé
Justo después de que las tablas
Fueron partidas en dos.

Los ojos de mi abuelo
Eran más severos que los de Moisés
Justo después de la adoración
Del becerro.

¡Oh fantasma! ¡fantasma!
Previste los días
De la ley incumplida
En la tierra extraña.

Donde los diez reunidos
Lloran a David,
¿Se enternece la mirada?
¿Se inclina el rostro?

Traducido por George B. Henson

Coda

by Hyam Plutzik

A recent traveler in Granada, remembering the gaiety that had greeted him on an earlier visit, wondered why the place seemed so sad. The answer came to him at last: "This was a city that had killed its poet." He was talking, of course, of the great Federico García Lorca, murdered by Franco's bullies during the Spanish Civil War.

But are there not many cities and many places that kill their poets? Places nearer home than Granada and the Albaicín? The poets, true, are humbler than Lorca (for such genius is a seed as rare as a roc's egg), and the deaths are less brutal, more subtle, more civilized. Against us, luckily, there are no squads on the lookout. There is no conspiracy against us, unless it is a conspiracy of indifference. But there are more powerful things in the modern world (and people who are the slaves of things, and people who are things) that move against poetry like an intractable enemy, all the more horrible because unconscious. They would kill the poet—that is, make him stop writing poetry. We must stay alive, must write then, write as excellently as we can. And if out of our labors and agonies there appears, along with our more moderate triumphs, even one speck of the final distillate, the eternal stuff pure and radiant as a drop of uranium, we are justified. For history, which does not lie, has proven that our product, if understood and used as it ought to be, is more powerful for the conservation of man than any mere material metal can be for his destruction.

[This essay originally appeared as the Preface to Plutzik's collection, *Apples from Shinar*, published by Wesleyan University Press in 1959 and reprinted in 2011 on the centennial of the poet's birth.]

Coda

por Hyam Plutzik

Un reciente viajero en Granada, al recordar cuánta alegría le había brindado la ciudad durante una visita anterior, se preguntaba por qué lucía el pueblo tan triste esta vez. Por fín se le ocurrió la explicación: "Este es un pueblo que mató a su poeta". Se refería, por supuesto, al gran Federico García Lorca, asesinado por los verdugos de Franco, durante la Guerra Civil de España.

Pero, ¿no son muchas las ciudades y demás sitios que matan a sus poetas? ¿Sitios mucho más cercanos que Granada o el Albaicín? Claro que aquellos poetas son más humildes que Lorca (porque tal genio es una semilla más escasa que el huevo del pájaro rokh), y aquellas muertes menos brutales, más sutiles, más civilizadas. A nosotros, afortunadamente, no nos vienen a perseguir cuadrillas. No hay complots contra nosotros, a no ser el complot de la indiferencia. Pero sí hay cosas más poderosas en el mundo moderno (y gente que son esclavos de las cosas, y gente que son cosas) que asaltan a la poesía como un enemigo inmutable, aún mas horrible por ser inconsciente. Matarían al poeta—es decir, no le permitirían escribir poesía. Nosotros tenemos la obligación de permanecer en vida, de seguir escribiendo, de escribir con toda la excelencia que nos sea posible. Y si nuestros esfuerzos, nuestras agonías, producen—entre los triunfos de mediano valor—aunque sea una migaja del destilado final, esa materia eterna y radiante como una gota de uranio, eso nos justifica. Porque así la historia, que no miente, logra comprobar que nuestro producto, si se comprende y se utiliza como debe ser, puede hacer más para conservar al hombre de lo que podrá hacer cualquier mero material metálico para lograr su destrucción.

Traducido por Rhina P. Espaillat

(Este ensayo apareció en su origen como prólogo al poemario *Apples from Shinar* (Manzanas de Sinar), publicado por Wesleyan University Press en 1959 y reeditado en 2011 para conmemorar el centenario del natalicio del poeta.)

Hyam Plutzik was born in Brooklyn on July 13, 1911, the son of recent immigrants from what is now Belarus. He spoke only Yiddish, Hebrew, and Russian until the age of seven, when he enrolled in grammar school near Southbury, Connecticut, where his parents owned a farm. Plutzik graduated from Trinity College in 1932, where he studied under Professor Odell Shepard. He continued graduate studies at Yale University, becoming one of the first Jewish students there. His poem "The Three" won the Cook Prize at Yale in 1933.

After working briefly in Brooklyn, where he wrote features for the *Brooklyn Daily Eagle*, Plutzik spent a Thoreauvian year in the Connecticut countryside, writing his long poem, *Death at The Purple Rim*, which earned him another Cook Prize in 1941, the only student to have won the award twice. During World War II he served in the U.S. Army Air Force throughout the American South and near Norwich, England; experiences that inspired many of his poems. After the war, Plutzik became the first Jewish faculty member at the University of Rochester, serving in the English Department as the John H. Deane Professor of English until his death on January 8, 1962. Plutzik's poems were published in leading poetry publications and literary journals. He also published three collections during his lifetime: *Aspects of Proteus* (Harper and Row, 1949); *Apples from Shinar* (Wesleyan University Press, 1959); and *Horatio* (Atheneum, 1961), all three of which were finalists for the Pulitzer Prize. To mark the centennial of his birth, Wesleyan University Press published a new edition of *Apples from Shinar* in 2011.

In 2016, *Letter from a Young Poet* (The Watkinson Library at Trinity College/Books & Books Press) was released, disclosing a young Jewish American man's spiritual and literary odyssey through rural Connecticut and urban Brooklyn during the turbulent 1930s. In a finely wrought first-person narrative, young Plutzik tells his mentor, Odell Shepard what it means for a poet to live an authentic life in the modern world. The 72-page work was discovered in the Watkinson Library's archives among the papers of Pulitzer Prize-winning scholar, Professor Odell Shepard, Plutzik's collegiate mentor in the 1930s. It was featured in a 2011 exhibition at Trinity commemorating the Plutzik centenary.

For further information, visit hyamplutzikpoetry.com.

Hyam Plutzik nació en Brooklyn el 13 de julio de 1911, hijo de inmigrantes recién llegados de lo que ahora es Bielorrusia. Habló solo el yídish, el hebreo y el ruso hasta la edad de siete años, cuando se matriculó en la escuela primaria cerca de Southbury, Connecticut, donde sus padres tenían una granja. Plutzik se graduó en Trinity College en 1932. Continuó sus estudios de posgrado en la Universidad de Yale, llegando a ser en uno de los primeros estudiantes judíos allí. Su poema "The Three" ganó el Premio Cook en Yale en 1933.

Tras haber trabajado un breve período en Brooklyn, Plutzik pasó un año thoreauviano en la campiña de Connecticut, escribiendo el poema *Death at The Purple Rim*, que le valió otro premio Cook en 1941. Durante la Segunda Guerra Mundial sirvió en la Fuerzas Aéreas del Ejército de los Estados Unidos en el Sur Estadounidense y en Norwich, Inglaterra; experiencias que servirían como inspiración para muchos de sus poemas. Después de la guerra, Plutzik se convirtió en el primer miembro del cuerpo docente judío en la Universidad de Rochester, donde ocupó la Cátedra John H. Deane en la Facultad de Inglés hasta su muerte el 8 de enero de 1962. Los poemas de Plutzik fueron publicados en destacadas revistas literarias y antologías poéticas. También publicó tres colecciones durante su vida: *Aspects of Proteus* (Harper y Row, 1949); *Apples from Shinar* (Wesleyan University Press, 1959); y *Horatio* (Atheneum, 1961), el cual lo convirtió en finalista del Premio Pulitzer de Poesía ese año. Para conmemorar el centenario de su nacimiento, Wesleyan University Press editó una nueva edición de *Apples from Shinar* en 2011.

En 2016, se lanzó *Letter from a Young Poet* (The Watkinson Library at Trinity College/Books & Books Press) que revelaba la odisea espiritual y literaria de un joven judío estadounidense por el Connecticut rural y la Brooklyn urbana durante los turbulentos años treinta. En una narración de primera persona finamente forjada, el joven Plutzik le dice a su mentor, Odell Shepard, lo que significa para un poeta vivir una vida auténtica en el mundo moderno. La obra fue descubierta en los archivos de la Biblioteca Watkinson entre los papeles del profesor Odell Shepard, ganador del premio Pulitzer y mentor universitario de Plutzik, y tuvo un papel destacado en una exposición que conmemoró en 2011 el Centenario del poeta.

Para mayor información, visite hyamplutzikpoetry.com.

Afterword

by Edward Moran

Traduttore, tradittore
("The translator is a traitor")

Umberto Eco famously used this Italian play on words to suggest that, by its very nature, translation is an imprecise, even deceptive art in that it can never replicate the nuances of cultural context that frames a text. At best, he conceded, translators might be dubbed practitioners of "admirable treason" when they captured elusive meanings with particular elegance.

These translations of poems by Hyam Plutzik have been admirably rendered, thanks to the elegant ministrations of several translators from different walks of life. These are people who breathe a bilingual oxygen—deft scribes with forked tongues who instinctively know how to delve into the deeper roots of language: roots that encapsulate "the greater, the remembered beauty" lest "successive layers of leaf dwindle the sunlight."

Hyam Plutzik did not write in Spanish, but he was immensely moved by reading the translations of one of his contemporaries, Federico García Lorca. In the preface to the centennial edition of *Apples from Shinar*, Plutzik pays tribute to this Spanish martyr while warning against those who would kill poets, either by violence or by indifference. The "labors and agonies" of the poet, he writes, can produce "the final distillate, the eternal stuff pure and radiant as a drop of uranium."

In this book, the "pure and radiant" works of a Jewish American poet with roots in Eastern Europe take on a new, scintillating glow when exposed to the rich radioactivity of a language that was not his own. More than half a century after Plutzik's death, these translations attest that his words are not being greeted with indifference. But they are not just being "studied

Epilogo
por Edward Moran

Traduttore, traditore
("El traductor es un traidor")

Umberto Eco empleó este consabido juego de palabras italiano para sugerir que, por su propia naturaleza, la traducción es un arte impreciso y hasta engañador, ya que nunca puede reproducir los matices del contexto cultural que enmarca un texto. En el mejor de los casos, admitió, los traductores se podrían apodar como practicantes de una "traición admirable" si capturaran significados inaprensibles con particular elegancia.

Estas traducciones de los poemas de Hyam Plutzik han sido interpretadas de manera admirable, merced a la elegante labor de varios traductores de diferentes ámbitos de la vida. Se trata de personas que respiran un oxígeno bilingüe—escribas con lenguas bifurcadas que instintivamente saben ahondar en las raíces más profundas del lenguaje, raíces que sintetizan "la mayor belleza recordada" para que "capas sucesivas de hojarasca mengüen la luz del sol".

Hyam Plutzik no escribió en español, pero le conmovió profundamente la lectura de las traducciones de uno de sus coetáneos, Federico García Lorca. En el prefacio de la edición centenaria de *Apples from Shinar* [Manzanas de Sinar], Plutzik rinde homenaje a este mártir español, mientras advierte contra aquellos que mataran a los poetas, ya fuera por violencia o por indiferencia. Las "labores y angustias" del poeta, escribe, pueden producir "el destilado final, la materia eterna pura y radiante como una gota de uranio".

En este poemario, las obras "puras y radiantes" de un poeta judío estadounidense con raíces en la Europa Oriental asumen un nuevo y brillante resplandor cuando se exponen a la rica radiactividad de una lengua que no es suya. Más de medio siglo

in a distant place"—they are being retrofitted with new linguistic wings that will enable them to reach and delight a whole new universe of readers far from his ancestral realms.

Such is the power of a little book, sent aloft through time and space by the art of translation.

Edward Moran is literary consultant to the Hyam Plutzik Centennial Project. He was literary advisor to the 2007 documentary film *Hyam Plutzik: American Poet*, directed by Oscar nominee Christine Choy and Ku-Ling Siegel. In this capacity, he worked with the directors in filming interviews with poets Hayden Carruth, Donald Hall, Galway Kinnell, Stanley Kunitz, and Grace Schulman. Prior to his involvement with the Plutzik project, Moran was associate editor of the *World Authors* biography reference series published by H.W. Wilson, a project that had originally been published in 1941 under the direction of Stanley Kunitz.

después de la muerte de Plutzik, estas traducciones dan fe de que sus palabras no son recibidas con indiferencia. Pero no sólo son "estudiados en un lugar distante", sino que están siendo equipados con nuevas alas lingüísticas que les permitirán llegar y deleitar a un nuevo universo de lectores, lejos de los lares ancestrales del poeta.

Tanto es el poder de un pequeño libro, lanzado en alto a través del tiempo y el espacio por el arte de la traducción.

Edward Moran es asesor literario del Proyecto del Centenario de Hyam Plutzik. Fue asesor literario de la película documental de 2007 *Hyam Plutzik: American Poet*, dirigida por Christine Choy, nominada al Oscar, y Ku-Ling Siegel. En esta capacidad, trabajó con los directores en la filmación de entrevistas a los poetas Hayden Carruth, Donald Hall, Galway Kinnell, Stanley Kunitz y Grace Schulman. Antes de su participación en el proyecto Plutzik, Moran fue editor asociado de la serie de referencias bibliográficas de *World Authors* publicada por H. W. Wilson, un proyecto que había sido publicado originalmente en 1941 bajo la dirección de Stanley Kunitz.

Layla Benitez-James is a poet, translator, and artist living in Alicante, Spain. Her translations can be found in *Waxwing* and *Anomaly*. She currently works with the Unamuno Author Series in Madrid as its Director of Literary Outreach. As *Asymptote's* Podcast Editor, she produces audio essays about translation and world literature. Her first collection of poetry, *God Suspected My Heart Was a Geode But He Had to Make Sure*, was selected by Major Jackson for the 2017 Toi Derricotte & Cornelius Eady Chapbook Prize and published by Jai-Alai Books in Miami in April 2018.

Pablo Brescia was born in Buenos Aires and has lived in the United States since 1986. He has published three books of short stories: *La derrota de lo real/The Defeat of the Real* (USA/Mexico, 2017), *Fuera de Lugar/Out of Place* (Peru, 2012/Mexico, 2013) and *La apariencia de las cosas/The Appearance of Things* (México, 1997), and a book of hybrid texts *No hay tiempo para la poesía/NoTime for Poetry*. He teaches Latin American Literature at the University of South Florida.

Pablo Cartaya is a professional code-switcher and the acclaimed author of *The Epic Fail of Arturo Zamora, Marcus Vega Doesn't Speak Spanish*, and *Each Tiny Spark* debuting on the new Kokila Penguin/Random House Imprint. He's an American Library Association's Pura Belpré Honor Author, an Audie Award Finalist (for narration and title), a Publishers Weekly Flying Start, and the 2018 Thurber House Writer-in-Residence. He teaches creative writing at Sierra Nevada College in Lake Tahoe's MFA program. Visit him at: pablocartaya.com / Twitter: @phcartaya

Carlos A. Del Valle Cruz is passionate about poetry and is (also) a Civil Rights & Public Interest Advocacy Attorney in Puerto Rico.

Rhina P. Espaillat is a Dominican-born bilingual poet, essayist, short story writer, translator, and former English teacher in New York City's public high schools. She has published twelve books, five chapbooks, and a monograph on translation. She has earned numerous national and international awards, and is a founding member of the Fresh Meadows Poets of NYC and the Powow River Poets of

Newburyport, MA. Her most recent works are three poetry collections: *And After All, The Field,* and *Brief Accident of Light: A Day in Newburyport,* co-authored with Alfred Nicol.

Ximena Gómez, a Colombian poet, translator and psychologist, lives in Miami. She has published: *Habitación con moscas* (Ediciones Torremozas, Madrid 2016), *Último día /Last Day,* a bilingual poetry book (Katakana Editores 2019). She is the translator of George Franklin's bilingual poetry book, *Among the Ruins/Entre las ruinas* (Katakana Editores, Miami 2018). She was a finalist in "The Best of the Net" award and the runner up for the 2019 *Gulf Stream* poetry contest.

George Franklin is the author of *Traveling for No Good Reason* (Sheila-Na-Gig Editions 2018); a bilingual collection, *Among the Ruins / Entre las ruinas* (Katakana Editores); and a broadside "Shreveport" (Broadsided Press). He is the winner of the 2020 Stephen A. DiBiase Poetry Prize. He practices law in Miami, teaches poetry workshops in Florida state prisons, and is the co-translator, along with the author, of Ximena Gómez's *Último día / Last Day.*

Pedro Medina is author of the books *Streets of Miami, Mañana no te veré en Miami,* and *Lado B* and is editor of *Viaje One Way*—a Miami anthology of narrators, named Book of the Year by Artes Miami in 2014. Medina is also editor and director of Suburbano publishing, a leading US cultural magazine and publishing house. He is also a columnist contributor to *El Nuevo Herald* and has taught courses in narrative technique in the Koubek Center in Miami Dade College (2013 and 2015).

Natalia Molinos Navarro has a Degree in Geography and History from the Autonomous University of Madrid and a PhD in Art and Cultural Heritage from the University of Alicante (Spain). She has worked as an art critic in print, radio and digital media. In addition to her academic publications, some of her short stories have been selected for publication in anthologies. As a translator, she has worked for several years with children's books for Everest-Disney Publishing House and on cultural projects for different institutions.

Carlos Pintado is a Cuban American writer, playwright, and award-winning poet who emigrated to the United States in the early 1990s. His book *Autorretrato en Azul* received the prestigious Sant

Jordi International Prize for Poetry, and his book *El Azar y los Tesoros* was a finalist for Spain's Adonais Prize in 2008. His work has been translated into English, Italian, German, French, Turkish, and Portuguese. *Nine Coins/Nueve Monedas* is his latest collection of poetry.

Jonathan Rose, a bilingual immigration attorney and cultural activist, is an accomplished poet, translator, and writer who was nominated for a Pushcart Prize in 2001. He serves as Program Director of the South Florida Writers Association and is Cultural Correspondent for the e-mail arts calendar, *Cultural Bulletin*, which he has published since 1999. He has moderated the Famous Last Friday Open Mic Poetry Readings at Books and Books in Coral Gables since 1992.

Jorge Vessel is a Venezuelan writer, translator and engineer. He holds an MFA in Creative Writing from New York University. He has published *Pájaro de Cuero Negro* (CELARG, 2004), winner of the Poetry Prize Fernando Paz Castillo (Venezuela), and *La Carencia* (2019), winner of the Premio de Poesía Federico Muelas (Spain). His work has appeared in important anthologies including *Cuerpo Plural* (Pre-Textos, 2010). As of 2019, he is part of the Unamuno Authors Series committee.

José A. Villar-Portela lives on the hyphen between Cuban and American culture that some call Miami. When he's not slaying dragons, he's working on his PhD in Hispanic Literature, reading too many books at once and writing hermetic poems. He's also a literary translator and professional pet psychic. For more information, find him at the library. And bring coffee.

Gastón Virkel is a writer and scriptwriter. In 2019 he published *Maldito Lasticön*, his first novel with Suburbano Ediciones (SEd). It tells the story of an accursed poet and his poetry. Two years earlier, the same publisher issued *Cuentos Atravesados*, his first book of short stories. His work has been featured in several anthologies. On sunny days he simply defines himself as a storyteller, aiming to not let any platform out of his reach.

Layla Benitez-James es una poeta, traductora y artista que vive en Alicante, España. Sus traducciones se pueden encontrar en *Waxwing* y *Anomaly*. Actualmente trabaja en la Unamuno Author Series en Madrid como Directora de Alcance Literario. Como Editora de podcasts en *Asymptote*, Layla produce ensayos de audio sobre traducción y literatura mundial. Su primer poemario, *God Suspected My Heart Was a Geode But He Had to Make Sure* fue seleccionado por Major Jackson para el premio "Toi Derricotte & Cornelius Eady Chapbook Prize" 2017 y publicado por Jai-Alai Books de Miami, en abril de 2018.

Pablo Brescia nació en Buenos Aires y reside en Estados Unidos desde 1986. Publicó los libros de cuentos *La derrota de lo real* (USA/México, 2017), *Fuera de lugar* (Lima, 2012; México 2013) y *La apariencia de las cosas* (México, 1997). También, con el seudónimo de Harry Bimer, dio a conocer los textos híbridos de *No hay tiempo para la poesía* (Buenos Aires, 2011). Es crítico literario y profesor en la Universidad del Sur de la Florida (Tampa).

Pablo Cartaya es el autor de los aclamados libros, *The Epic Fail of Arturo Zamora, Marcus Vega Doesn't Speak Spanish*, y *Each Tiny Spark* publicado por el nuevo editorial Kokila (Penguin/Random House). A recibido el honor Pura Belpré del American Library Association, fue finalista de los Audies por su narracion de su libro, un Publishers Weekly Flying Start, y el 2018 Thurber House Writer-in-Residence. Actualmente da clases de escritura creativa en el MFA de baja residencia en Sierra Nevada College en Lake Tahoe. www.pablocartaya.com / Twitter: @phcartaya

Carlos A. Del Valle Cruz es apasionado de la poesía y es (también) Abogado de Derechos Civiles y por la Defensa del Interés Público en Puerto Rico.

Rhina P. Espaillat, dominicana de nacimiento y bilingüe, es poeta, ensayista, cuentista y traductora, y fue por varios años maestra de inglés en las escuelas públicas secundarias de New York. Ha publicado doce libros, cinco libros de cordel, y una monografía sobre la traducción. Ha ganado varios premios nacionales e internacionales, y fue fundadora del grupo Fresh Meadows Poets en NYC y el grupo

Powow River Poets en Newburyport. Sus obras más recientes son tres poemarios: *And After All, The Field,* y una collaboración con el poeta Alfred Nicol, *Brief Accident of Light: A Day in Newburyport.*

Ximena Gómez, colombiana, poeta, traductora y psicóloga vive en Miami. Ha publicado: "Habitación con moscas" (Ediciones Torremozas, Madrid 2016), Último día" /Last Day, poemario bilingüe (Katakana Editores 2019). Es traductora del poemario bilingüe de George Franklin Among the Ruins / Entre las ruinas (Katakana Editores, Miami 2018). Fue finalista al concurso "The Best of the Net" y obtuvo el segundo lugar en el 2019, en el concurso anual de *Gulf Stream.*

George Franklin es el autor de *Traveling for No Good Reason* (Sheila-Na-Gig Editions 2018), del poemario bilingüe, *Among the Ruins / Entre las ruinas* (Katakana Editores), un volante *Shreveport* (Broadsided Press), y es el ganador del primer Premio de Poesía Stephen A. DiBiase 2020. Ejerce la abogacía en Miami, imparte talleres de poesía en las prisiones del estado de Florida, y es el co-traductor, junto con la autora, del poemario de Ximena Gómez Último día/Last Day.

Pedro Medina es autor de los libros *Streets of Miami, Mañana no te veré en Miami* y *Lado B* and es editor de *Viaje One Way*—una antología de narradores de Miami, nombrada Libro del Año por Artes Miami en 2014. Medina es también redactor y director de la editorial Suburbano, una importante revista cultural y editorial de Estados Unidos. También es columnista colaborador de *El Nuevo Herald* y ha impartido cursos de técnica narrativa en el Centro Koubek del Miami Dade College (2013 y 2015).

Natalia Molinos Navarro es Licenciada en Geografía e Historia, por la Universidad Autónoma de Madrid y Doctora en Arte y Patrimonio Cultural por la Universidad de Alicante (España). Ha trabajado como crítica de arte en medios de comunicación escritos, de radio y digitales. Además de publicaciones académicas, ha publicado varios cuentos de ficción en selecciones literarias. Como traductora ha trabajado durante varios años en libros infantiles para Everest y Disney y sobre temas culturales para distintas instituciones.

El cubano-americano *Carlos Pintado* es un escritor, dramaturgo y poeta ganador de premios que emigró a los Estados Unidos a principios de los noventa. Su libro *Autorretrato en Azul* recibió el prestigioso Premio Internacional de Poesía Sant Jordi y su libro *El Azar y los Tesoros* fue

finalista del Premio Adonais de España en 2008. Su obra ha sido traducida al inglés, italiano, alemán, francés, turco y el portugués. *Nine Coins/ Nueve Monedas* es su último poemario.

Jonathan Rose, abogado bilingüe de inmigración y activista cultural, es un logrado poeta, traductor y escritor que fue nominado para un premio Pushcart en 2001. Es Director de Programa de la Asociación de Escritores de la Florida del Sur y Corresponsal Cultural del calendario de arte, *Cultural Bulletin*, que ha publicado desde 1999. Ha moderado las *Famous Last Friday Open Mic Poetry Readings* en Books and Books en Coral Gables desde 1992.

Jorge Vessel nació en Caracas en 1979. Es escritor y traductor. Es ingeniero de la Universidad Simón Bolívar y tiene un Máster en Escritura Creativa de la Universidad de Nueva York. Su poemario Pájaro de Cuero Negro fue premiado por el Centro de Estudios Latinoamericanos Rómulo Gallegos en 2004 con el XV Premio de Poesía Fernando Paz Castillo. Su segundo libro, La Carencia recibió el Premio de Poesía Federico Muelas en 2018 otorgado por el Ayuntamiento de Cuenca. Sus textos han aparecido en importantes antologías hispanoamericanas, como En-Obra (Editorial Equinoccio, 2008) o Cuerpo Plural (Editorial Pre-Textos, 2010) y pueden encontrarse en diversas revistas literarias. Desde 2019 forma parte del comité organizador del Unamuno Authors Series Festival.

José A. Villar-Portela vive en el guión entre cubano y americano, lo cual algunos también llaman Miami. Cuando no está matando dragones, está trabajando en su doctorado en Literatura Hispana, leyendo demasiados libros a la vez y escribiendo poemas herméticos. También es traductor literario y psíquico de mascotas profesional. Para mayor información, se avisa buscarlo en la biblioteca. Y traerle café.

Gastón Virkel es escritor y guionista. En 2019 publicó por Suburbano Ediciones (SEd) su primera novela, *Maldito Lasticön*, una historia sobre un poeta maldito de Miami y su poesía. Dos años antes, había publicado *Cuentos Atravesados*, su primer libro de relatos en la misma editorial. Sus textos han formado parte de antologías. En días soleados se define simplemente como un *storyteller* para no dejar plataforma alguna fuera de sus posibilidades.

Made in the USA
Middletown, DE
28 September 2022

11402847R00064